VIE

DU MARÉCHAL

LANNES.

AGEN,

IMPR. J. QUILLOT, RUE St-MARTIAL, 1.

—

1867.

VIE

DU MARÉCHAL

LANNES.

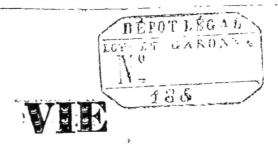

LANNES (Jean), grand-cordon de la Légion
d'honneur, maréchal de France, duc de Montebello, naquit à Lectoure, département du Gers,
le 11 avril 1769. Il faisait ses études au collége
de cette ville, lorsqu'il fut obligé de les abandonner par défaut de moyens pécuniaires, et
fut mis en apprentissage chez un teinturier à
Auch. Il y était encore lorsque nos frontières
menacées, en 1792, par les armées coalisées,
réclamèrent la levée en masse de tous les Français capables de porter les armes. Il partit des
premiers pour l'armée des Pyrénées-Orientales,
avec le grade de sergent-major. Son intelligence,
son zèle, et surtout son patriotisme désintéressé
et sa bravoure dont il a donné tant de preuves,

durent lui faire obtenir un avancement rapide ;
aussi, en 1795, fut-il promu au grade de chef de
brigade. Cependant, après le 9 thermidor, il fut
compris dans le nombre des officiers destitués
par le représentant Aubry, pour cause d'incapa-
cité. Se trouvant ainsi sans emploi, il se déter-
mina à servir comme simple soldat, et s'attacha
à l'armée d'Italie, sous Bonaparte, dont il de-
vint bientôt le meilleur ami, ce qui remonte à
1796.

La bataille de Millesimo, qui eut lieu le
14 avril de la même année, et où Lannes se
distingua, fournit à Bonaparte l'occasion de lui
donner une marque de son souvenir ; il le fit co-
lonel du 15e régiment, sur le champ de bataille.
Lannes sut justifier son avancement par des
prodiges de valeur difficiles à décrire.

Un mois après, il traversa le premier le Pô à
la tête d'un bataillon de grenadiers qui for-
maient une partie de l'avant-garde. Ces braves
s'étaient arrêtés pour chercher un passage. Le
général Lannes s'apercevant de leur embarras,
arrive au galop : « Camarades, s'écrie-t-il, ne
» regardons pas les flots, ne voyons que les
» ennemis. » En disant ces mots, il s'élance dans
le fleuve, et parvient bientôt à l'autre rive. Les
grenadiers suivent son exemple, et mettent

en déroute les Autrichiens étonnés d'une pareille audace. Au village de Fombio, il attaqua huit mille ennemis retranchés, soutenus par dix mille cavaliers et protégés par vingt pièces de canon, il les chassa devant lui jusqu'à l'Adda, leur tua trois cents hommes, fit un grand nombre de prisonniers, et s'empara de leurs bagages. A Lodi, il se précipita à la tête des colonnes, et contribua à la victoire si long-temps disputée.

A Binasco, Lannes, à la tête d'une faible avant-garde, fond sur un rassemblement de huit cents hommes qui s'opposaient au passage de l'armée française, et les poursuit jusque sous les murs de Pavie, que nos troupes prirent d'assaut le lendemain.

Au siége de Mantoue, avec six cents grenadiers de la division Dallemagne, il enleva à la baïonnette le faubourg Saint-Georges, et s'empara de la tête du pont de cette place. Blessé au combat de Governolo, il le fut de nouveau à la bataille d'Arcole. Le lendemain, il apprend que la victoire est encore indécise ; il s'élance du lit où ses douleurs le retenaient, monte à cheval, se précipite au milieu des balles et de la mitraille, et il est atteint d'un coup de feu qui le renverse sans connaissance. Peu de temps après, il enlève les retranchements d'Imola, défendus par quatre mille soldats romains.

L'expédition d'Egypte se préparait; les troupes étaient réunies, les chefs désignés; Lannes fut de ce nombre. Il signala sa valeur à Malte, au débarquement d'Alexandrie, dans plusieurs combats devant le Caire, à Saint-Jean-d'Acre, où il montra un courage et une constance héroïques, enfin pendant toute l'expédition de Syrie, où ses dispositions et sa vigilance à l'avant-garde facilitèrent le retour de l'armée en Egypte.

A la bataille d'Aboukir, avec trois mille Français, il battit dix-huit mille Turcs, jeta la terreur dans leurs rangs, et les força de s'acculer à la mer, où la cavalerie de Murat les refoula. Dix mille Musulmans y périrent. A la prise du village, il emporta de vive force la redoute et les retranchements; il fut dangereusement blessé dans ce dernier combat.

Il fut un des sept officiers-généraux qui revinrent avec le général Bonaparte, et l'un de ceux qui lui rendirent le plus de services lors des événements du 18 brumaire. Nommé au commandement des 9e et 10e divisions militaires, dans lesquelles se trouvait la ville où il était né, il sut, par sa fermeté, comprimer les

factions que les ennemis du nouveau gouverne-
ment s'efforçaient d'y entretenir; en même
temps il sut ranimer la confiance des bons ci-
toyens. A son retour à Paris, il fut nommé
commandant de la garde consulaire, et eut
ordre d'accompagner le premier consul qui se
rendait en Italie, où la guerre venait de se ral-
lumer. Il eut le commandement de l'avant-garde,
poste d'honneur et de confiance qu'il avait déjà
occupé, et dans lequel il se signala de nouveau.

Il se mit en marche, rencontra l'ennemi à
Châtillon, près d'Aoste, enleva le village à la
baïonnette, escalada la citadelle d'Yvrée, prit la
ville, s'empara de dix pièces de canon, et poursuivit l'ennemi, qui se sauva vers Turin, en
lui abandonnant un grand nombre de prisonniers. Trois jours après, sur les bords de la
Chinsella, il força les doubles lignes autrichien-
nes qui défendaient le pont, et les mit dans la
déroute la plus complète. A Pavie, il devança
l'ennemi, et s'empara de toute son artillerie. Il
harangua ainsi ses soldats: « Nous marchons
» pour cueillir de nouveaux lauriers ; je ren-
» verrai sur les derrières de l'armée le cama-
» rade indigne qui se souillera d'une atteinte
» aux propriétés ; il expiera dans la nullité et le
» mépris le crime d'avoir compromis le nom

» français, qui fut confié si grand à votre cou-
» rage. »

Parvenu sur les rives du Pô, il engage une
canonnade, afin d'y attirer les forces de l'ennemi, passe ce fleuve au village de Belgioso,
occupe la célèbre position de la Stradella, et
intercepte ainsi la seule communication qui reste
aux Autrichiens : bientôt attaqué par eux avec
la plus grande impétuosité, il les repousse avec
vigueur, déconcerte leur audace, et les force à
se retirer sur Plaisance. A la bataille de Montebello, à la tête de sa division réunie, il enfonce
l'ennemi, et le poursuit la baïonnette dans les
reins jusqu'à Voghera. A Marengo, où il rem-
plit tout à la fois les fonctions de capitaine et
de soldat, il soutint pendant sept heures, avec
son avant-gaade, tout l'effort de l'armée autrichienne. Sous les foudres de vingt-quatre pièces
de canon, cinquante grenadiers de la garde des
consuls, commandés par lui, arrêtèrent dix
mille cavaliers, et résistèrent à trois décharges
sans se rompre. Berthier disait dans son rap-
port sur cette journée : « A la bataille de Ma-
» rengo, Lannes a montré le calme d'un vieux
» général. » Les consuls voulant témoigner au
général Lannes leur satisfaction pour l'intelligence et la bravoure qu'il avait déployées dans

cette glorieuoe bataille, lui décernèrent un
sabre, sur lequel étaient inscrits ces mots :
« Bataille de Marengo, commandée en personne
» par le premier consul. Donné par le gouver-
» nement de la république au général Lannes. »

Le premier consul le nomma, en 1801, mi-
nistre plénipotentiaire à Lisbonne ; il y fit res-
pecter le nom français, par sa dignité person-
nelle et par sa fermeté à soutenir les droits de
la nation. Mais il fut rappelé, à la suite de dif-
ficultés survenues à l'occasion des droits qu'il
prétendait avoir de faire entrer, francs de tous
droits, dans le Tage, des bâtiments chargés de
marchandises. Le 19 mai 1804, il fut fait maréchal d'empire, et quelque temps après, chef de
la 9e cohorte et grand-officier de la Légion
d'Honneur.

Pendant la campagne d'Autriche, en 1805, au
combat de Wertingen, il prit une division entière de l'armée autrichienne. A Guntzbourg, il
culbuta plusieurs rangs d'ennemis ; à Albeck,
avec six mille de ses soldats, il battit vingt-cinq
mille Autrichiens qui l'avaient cerné. Il s'empara des places de Braunau et de Lintz : dans la
première, il trouva quarante-cinq canons ; et
cent millions de florins dans la seconde. Lors
de la prise de Vienne, il passa le premier le

pont du Danube à Hollabrün; il chassa les Russes par plusieurs charges de cavalerie, et les attaqua de front à Junterdorf; à Austerlitz, il défit le prince Bagration, et contribua beaucoup à la victoire.

En 1806, dans la guerre contre la Prusse, il attaqua l'avant-garde ennemie commandée par le prince Louis, culbuta son infanterie et la dispersa dans les bois : le prince trouva la mort dans ce combat. A la bataille d'Iéna, Lannes soutint un village contre tout l'effort de l'armée ennemie : il faillit être tué dans cette journée ; un biscaïen rasa sa poitrine sans le toucher.

A Pultuck, il s'élança, à la tête d'une colonne, contre toute l'armée russe rangée en bataille, lui fit six mille prisonniers, et poursuivit le général Benigsen jusqu'à Eylau, où il se couvrit de gloire.

A Friedland, il commença l'engagement, et opposa aux Russes, qui tentèrent plusieurs fois d'enfoncer le centre, un mur d'acier contre lequel toutes les charges vinrent se briser. A la fin de la campagne, Napoléon donna au maréchal Lannes le titre du duc de Montebello.

Au commencement de la plus désastreuse de toutes les guerres, celle d'Espagne, le duc de Montebello, ayant reçu l'ordre d'attaquer, avec trois mille hommes, le général Castanos, qui avait avec lui sept divisions et quarante pièces de canon pour couvrir sa ligne, fit déployer ses colonnes, fondit sur les Espagnols avant d'avoir disposé ses batteries, enfonça leur centre, et enveloppa la droite de leur armée: toute la ligne ennemie fut détruite.

Le siége de Saragosse suivit de près cette première victoire. Le maréchal Lannes en dirigea les opérations avec une intrépidité et une persévérance sans exemple. Ses efforts furent couronnés d'un plein succès. Quoiqu'il fallût faire incendier les maisons les unes après les autres, la ville se rendit à discrétion: quarante mille homme d'infanterie espagnole et deux mille cavaliers posèrent les armes, et remirent quarante drapeaux avec cent cinquante pièces de canon.

Après avoir obtenu différents succès dans cette guerre, à tant de titres si funeste à la France, il revint dans sa patrie, et goûtait au sein de sa famille, dans la belle terre de Maisons qu'il possédait près de Paris, un repos acheté par de nombreuses fatigues, lorsque, en 1809, la guerre éclata de nouveau entre l'Autriche et la France. De funestes pressentiments lui rendirent singulièrement pénible le moment où il se sépara de sa femme et de ses enfants. Enfin, il partit, et retrouva, à la tête de ses troupes, la victoire qui lui avait toujours été fidèle.

Il donna de nouvelles preuves d'intrépidité à la bataille d'Abensberg, où il prit douze canons et dix-huit cents ennemis ; à Eckmül, où il s'élança le premier et déborda l'armée autrichienne par la gauche ; à Ratisbonne, où un bataillon sous ses ordres s'introduisit avant tous les autres dans la place ; à Amstetten, où il fit cinquante houlans prisonniers ; à Esling, où, à la tête des assaillants, il enfonça le centre de la ligne autrichienne, la mit dans la plus épouvantable déroute, et fut frappé à la cuisse par un boulet qui lui enleva la jambe droite toute entière, et la gauche un peu au-dessus de la cheville. L'inquiétude que l'on eut pour sa vie, le fit transporter, sur le champ, près de l'empereur. Ce prince, alors occupé à donner des ordres qui assuraient le gain de la bataille, éprouva la plus vive émotion. « Il fallait, s'écria-t-il » douloureusement, que dans cette journée mon » cœur fût frappé par un coup aussi sensible, » pour que je puisse m'abandonner à d'autres » soins qu'à ceux de mon armée. » Le maréchal était alors sans connaissance. Lorsqu'il revint à

lui, apercevant l'empereur, il lui dit, en lui
serrant la main : « Dans une heure vous aurez
» perdu celui qui meurt avec la gloire et la
» conviction d'avoir été votre meilleur ami. »
Cet illustre guerrier succomba le 31 mai 1809,
après neuf jours des plus cruelles souffrances,
produites par la double amputation qu'il eut encore le courage de supporter. Ses restes furent
d'abord transportés à Strasbourg, où ils restè-
rent déposés pendant une année ; ils furent en-
suite transportés à Paris, et déposés, avec so-
lennité, au Panthéon français, le 6 juillet 1810.

Le plus brave des soldats fut aussi le meilleur des hommes ; sa bienfaisance était active,
mais presque toujours éclairée. Souvent elle
était dictée par l'amour de la patrie, dont il affec-
tionnait les défenseurs, quel que fût le rang dans
lequel ils eussent servi. Les bienfaits du maréchal tombaient assez ordinairement sur d'an-
ciens compagnons d'armes. On sait qu'il payait
de ses deniers la pension de plusieurs veuves et
fils de braves militaires pour lesquels il eût pu
facilement obtenir les bienfaits du gouverne-
ment. Il aimait mieux payer que de solliciter des
grâces.

Imp. Quillot, à Agen.

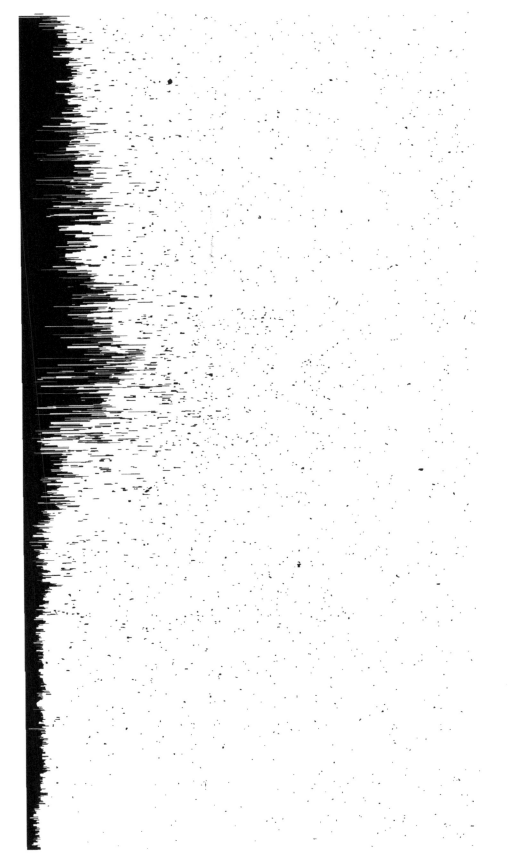

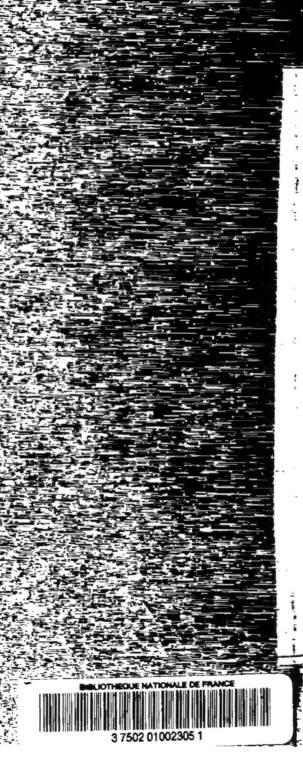

Lightning Source UK Ltd.
Milton Keynes UK
UKHW020457220721
4327UKFR00005B/372

9 782013 244251